LIQUEURS
D'INFUSION

PIQUEZ LOUIS

INTRODUCTION

L'infusion est une méthode facile pour faire une grande variété de liqueurs. La plupart des liqueurs les plus célèbres au monde sont fabriquées selon cette méthode. Comme les amers d'Angostura, qui sont également une infusion, il existe souvent des formules bien gardées derrière les liqueurs, impliquant une étonnante gamme d'herbes et d'épices.

Malgré le secret, cependant, les liqueurs peuvent être facilement fabriquées dans votre distillerie à domicile. Ne vous laissez pas intimider par les longues listes d'ingrédients ; si vous avez fait des amers ou du gin en utilisant ces véritables « produits botaniques » plutôt que des arômes, vous avez déjà un bon début.

Les liqueurs sont de simples bêtes généralement composées de trois composants principaux : l'alcool de base, l'arôme et l'édulcorant. Mélangez ces ingrédients à votre propre contenu cacophonique et vous pourriez être récompensé par une bouteille de délices sur mesure.

Vous pouvez le faire avec très peu de matériel. Au minimum, vous devriez avoir des tasses à mesurer, une petite balance de cuisine et un hydromètre à alcool pour mesurer l'alcool en volume (ABV).
Les infusions sont faites en trempant ou en infusant divers ingrédients dans une liqueur de base, souvent de la vodka. Les temps de perfusion peuvent aller de

quelques jours à plusieurs semaines. Généralement, les herbes et les épices sont infusées, puis extraites du liquide. Par définition, les liqueurs sontsucré; généralement, cela se fait après que les plantes aient été infusées.

Les liqueurs peuvent être sucrées avec du sucre, du sirop de sucre, du miel ou encore du sirop d'agave. Voici quelques recettes de liqueurs populaires pour vous aider à démarrer.

RHUM

1. Liqueur de café

- 1 recette de café infusé à froid
- $\frac{1}{2}$ tasse (125 ml) d'eau
- $\frac{1}{2}$ tasse (125 ml) de cassonade foncée (emballée)
- 1 tasse (250 ml) de rhum brun
- $\frac{1}{2}$ gousse de vanille

a) Préparez d'abord le café infusé à froid. Porter l'eau et la cassonade à ébullition à feu vif; baisser le feu pour laisser mijoter, en remuant pour dissoudre le sucre. Retirer du feu et laisser refroidir à température ambiante, environ 30 minutes.

b) Ajouter le sirop refroidi et le rhum dans le pot avec le café. À l'aide d'un couteau, fendez la gousse de vanille en deux dans le sens de la longueur et grattez les graines, ajoutez les graines et la gousse au mélange de café et remuez pour combiner. Remettez le couvercle sur le bocal et laissez-le reposer àtempérature ambiante dans un endroit frais et sombre pendant au moins 2 semaines, en secouant une fois par jour. Retirer la gousse de vanille.

2. Biscuits mexicains à la liqueur de café

Ingrédient
- $\frac{1}{2}$ tasse de beurre
- $\frac{1}{2}$ tasse de crème
- $\frac{2}{3}$ tasse de sirop d'érable
- $\frac{1}{2}$ tasse de Kahlua ou autre liqueur de café
- 1 cuillère à café de vanille
- 1 chaque œuf
- 2 tasses de farine blanche non blanchie
- 1 cuillère à café de bicarbonate de soude
- $\frac{1}{2}$ tasse d'avoine
- $\frac{1}{2}$ tasse de noix
- $1\frac{1}{2}$ tasse de chips de caroube à la menthe

a) Crémer ensemble le beurre, la crème, le sirop d'érable, la liqueur de café et la vanille.

b) Incorporer l'œuf. Ajouter la farine en trois ajouts, en veillant à ce que chaque ajout soit bien mélangé. Ajouter le bicarbonate de soude et l'avoine. À la main, incorporer les noix et les pépites de menthe. Déposer par cuillerée à thé sur une plaque à biscuits non huilée.

c) Cuire au four à 350 degrés 10-12 minutes. Les cookies seront dorés.

3. Liqueur de crème de rhum banane noix de coco

Ingrédient

- 2 Bananes mûres; en purée (environ une tasse)
- 2 cuillères à café d'extrait de noix de coco
- 1½ tasse de rhum
- ½ tasse de Vodka
- ½ tasse de lait concentré sucré
- ½ tasse de lait évaporé
- 1 tasse de crème de noix de coco

Écraser les bananes et mélanger dans un mélangeur avec de l'extrait de noix de coco, du rhum et de la vodka. Ajouter les laits et mélanger à basse vitesse pendant une minute. Ajoutez la crème de noix de coco ou le lait de coco et mélangez par impulsions pendant une minute (utilisez la vitesse la plus basse sur le mélangeur et éteignez-le huit fois.) Donne environ quatre tasses.

4. Rhum épicé

- 1 bouteille de 750 millilitres (26 oz) de rhum vieilli (je suggère du rhum brun, mais pas vraiment des rhums bruns ou «noirs»)
- 1 noix de muscade entière
- 1 bâton de cannelle, cassé en morceaux
- 1 gousse de vanille, fendue dans le sens de la longueur
- 2 clous de girofle entiers
- 1 gousse de cardamome
- 4 grains de poivre noir
- Sirop de Sorgho
- 1 anis étoilé
- 3 baies de piment de la Jamaïque
- 1 grosse orange nombril

a) Placez la muscade entière dans une vieille taie d'oreiller ou enveloppez-la sans serrer dans un torchon propre et donnez-lui un coup ferme avec un marteau ou un maillet. Mettez la muscade et toutes les autres épices dans une sauteuse à fond épais. Faire griller légèrement les épices à feu moyen-vif jusqu'à ce qu'elles soient parfumées, environ 2 minutes. Retirer du feu et laisser refroidir. Transférez-les dans un broyeur à lame et pulsez environ trois à quatre fois.

b) A l'aide d'un économe, zester l'orange en prenant soin d'éviter toute peau blanche. Mettez le zeste dans un pot Mason de 1 litre et ajoutez le rhum et les épices grillées. Mettez le couvercle bien en place, secouez pour mélanger et laissez reposer pendant au moins 24 heures.

c) Filtrez le rhum épicé, d'abord à travers une passoire, puis à travers une étamine ou un filtre à café. Verser dans un bocal ou une bouteille en verre propre et étiqueter.

5. Crêpes aux noisettes avec glace

Ingrédient

- $\frac{1}{2}$ tasse de noisettes entières
- $\frac{1}{2}$ tasse de lait
- ⅓ tasse Café infusé, refroidi
- ⅓ tasse Frangelico et/ou kahlua
- 1 cuillère à café de vanille
- cuillère à café d'extrait d'amande
- 3 Des œufs
- 1 tasse de farine
- 3 cuillères à soupe de beurre non salé, fondu et
- Refroidi
- Huile pour casserole
- 1 pinte de glace au café
- Sauce caramel au café et noix*
- Sauce au fudge moka

Pour griller des noisettes :

a) Cuire au four à 300F. four, en secouant plusieurs fois, jusqu'à ce que les peaux noircissent, se détachent et se fissurent, environ 15 minutes. Refroidir légèrement, transférer sur une serviette. Pliez la serviette pour envelopper, frottez vigoureusement pour détacher les peaux.

b) Retirez et jetez autant de peau que possible.

c) Transférer les peaux dans un mélangeur ou un robot culinaire. Pulse on/off jusqu'à ce qu'ils soient finement hachés.

Crêpes:
a) Mélanger le lait, le Frangelico, les extraits de vanille et d'amande et les œufs jusqu'à homogénéité. Ajouter la farine d'un coup et battre jusqu'à consistance lisse et que toute la farine ait été absorbée. Incorporer les noisettes, le beurre et le sucre.

b) Couvrir et réfrigérer au moins deux heures, mais de préférence toute la nuit.

c) Remettre la pâte à température ambiante.

d) Faire chauffer une poêle à crêpes jusqu'à ce que l'eau crache dessus. Huiler légèrement et chauffer jusqu'à ce qu'il soit chaud. Retirez la casserole du feu, versez ¼ tasse de pâte et remuez rapidement pour enrober le fond. Remettre la casserole sur le feu.

e) Cuire jusqu'à ce que la crêpe soit dorée au fond; retourner et cuire de l'autre côté.

f) Transférer dans une assiette en séparant les crêpes avec du papier ciré. Répéter avec le reste de la pâte, en huilant la poêle au besoin.

g) Les crêpes peuvent être préparées à ce stade à l'avance. Réchauffer en enlevant le papier ciré, en emballant dans du papier d'aluminium et en faisant cuire dans un four préchauffé à 350F. four sur une plaque à biscuits pendant environ 15 minutes.

h) Rouler rapidement des crêpes chaudes autour de petites boules de glace. Servir avec une ou les deux sauces.

6. Boules de liqueur de moka sans cuisson

Ingrédient

- 3 tasses   Miettes de gaufrettes à la vanille; boîte d'environ 250 g
- $\frac{1}{4}$ tasse   L'eau
- 3 cuillères à soupe Café instantané
- 4 onces   Chocolat mi-sucré
- $\frac{1}{2}$ tasse   Tia Maria
- $1\frac{1}{2}$ tasse   Sucre en poudre tamisé
- Noix de pécan; optionnel

Mettre de l'eau dans une casserole de taille moyenne. Ajouter le café et remuer à feu doux jusqu'à ce que le café soit dissous. Ajouter le chocolat et continuer à chauffer jusqu'à ce qu'il soit fondu, en remuant fréquemment. Retirer du feu et incorporer la liqueur.

Mélanger les miettes de gaufrettes et le sucre ensemble; incorporer les ingrédients liquides jusqu'à ce qu'ils soient bien mélangés. Façonner en boules de 1 pouce. Sidésiré, presser un morceau de noix de pécan au centre de chacun, en l'aplatissant légèrement. Conserver dans un récipient hermétiquement couvert dans un endroit frais pendant au moins une semaine pour permettre aux saveurs de se mélanger. Donne environ 3 douzaines.

7. Liqueur de thé au jasmin

Ingrédient
- 1 pinte de rhum brun
- $\frac{1}{2}$ tasse de thé au jasmin
- 1 tasse de sirop de sucre

Faites infuser le thé dans le rhum pendant 24 heures et retirez-le.

Préparez le sirop de sucre en faisant bouillir 1 tasse de sucre dans $\frac{1}{2}$ tasse d'eau (il sera TRÈS épais). Lorsque le sirop refroidit, ajoutez-le au rhum. Il est prêt à boire immédiatement. C'est une très bonne liqueur après le dîner, mais vous pouvez la boire à tout moment. Si la saveur du thé est trop forte, essayez de laisser infuser pendant un temps plus court, en réduisantla quantité, etc. De même, la quantité de sucre peut être un peu excessive pour de nombreux goûts, alors expérimentez.

8. Liqueur de crème de moka

Ingrédient
- 1 14 onces. peut lait concentré sucré
- 1 tasse   Rhum brun
- 1 tasse   Crème épaisse
- $\frac{1}{4}$ tasse   Chocolat - sirop aromatisé
- 4 cuillères à café   Café expresso instantané en poudre
- $\frac{1}{2}$ cuillère à café   Cannelle moulue
- $\frac{1}{2}$ cuillère à café   Extrait de vanille
- cuillère à café   Extrait de noix de coco

Mélanger tous les ingrédients dans un robot culinaire ou un mélangeur.

Couvrir et mélanger à haute vitesse jusqu'à ce que le mélange soit bien mélangé et lisse. Servir le cordial immédiatement sur de la glace pilée ou des glaçons. Ou, transférez le mélange dans un récipient hermétiquement couvert et réfrigérez jusqu'à 2 semaines. Remuer juste avant de servir.

9. Fruit suédois en liqueur

Ingrédient
- 1 pinte   Myrtilles
- 1 pinte   Framboises
- 1 pinte   Des fraises
- 1 pinte   groseilles rouges
- 1 tasse   (ou plus) sucre granulé
- ⅔ Coupe   Brandy
- ⅔ Coupe   Crème fouettée non sucrée au rhum léger pour la garniture

Retirez les tiges et les coques des baies. Rincer, égoutter et placer dans un bol de service en verre. Ajouter le sucre, le cognac et le rhum en remuant avec une cuillère en bois. Goûtez et ajoutez plus de sucre, si nécessaire. Mariner une nuit au réfrigérateur. Servir avec de la crème fouettée et une généreuse quantité de sauce. Pour 6 à 8.

10.   Tourte noix de coco-amandes

Ingrédient
- 6 grands   Oeufs, séparés, à température ambiante
- 1 tasse   Du sucre
- 1 tasse   Amandes, hachées grossièrement
- 2 tasses   Noix de coco râpée non sucrée
- $\frac{1}{2}$ tasse   du jus d'orange
- $\frac{1}{4}$ tasse   Liqueur de Sabra (ou Grand Marnier ou Cointreau)
- Huile pour la poêle
- Chocolat amer râpé pour la garniture
- Crème fouettée pour la garniture

Préchauffer le four à 325 degrés. Graisser légèrement un moule à charnière de 10". Dans un grand bol, battre les blancs d'œufs en pics mous; ajouter $\frac{1}{2}$ tasse de sucre; battre en pics fermes.

Dans un autre bol, battre les jaunes avec $\frac{1}{2}$ c. sucre jusqu'à consistance légère et mousseuse. Ajouter les amandes et la noix de coco; mélanger doucement. Incorporer les blancs d'œufs.

Verser la pâte dans le moule; cuire 45 min. ou jusqu'à ce que la croûte soit brun clair sur le dessus et qu'un cure-dent en ressorte propre. Retirer du four et laisser reposer dans le moule quelques minutes. Piquer le dessus de la tourte partout avec un cure-dent.

Mélanger le jus d'orange et la liqueur et verser sur la tourte tout en restant dans la poêle. Lorsque la tourte est complètement refroidie, la retirer et la servir avec de la crème fouettée, si désiré, et du chocolat râpé.

11.   Liqueur de café sauce

Ingrédient
- 1 cuillère à soupe   Liqueur de café
- $\frac{1}{4}$ tasse Jus de citron
- $\frac{1}{4}$ tasse Oignon, haché finement
- 6 tirets Sauce piquante
- $\frac{1}{2}$ cuillère à café Mon chéri
- cuillère à café Racine de gingembre, râpée
- $\frac{1}{4}$ tasse Jus de citron vert
- $\frac{1}{4}$ tasse Huile végétale
- 1 cuillère à café sauce Worcestershire
- $\frac{1}{2}$ cuillère à café aneth
- cuillère à café poivre blanc

Bien mélanger tous les ingrédients dans un bocal couvert. Laisser reposer 1 heure ou plus pour mélanger les saveurs. Bien agiter avant utilisation. Verser sur le poisson et laisser mariner 30 minutes. Griller le poisson en arrosant souvent..

12. Cordial aux canneberges

Ingrédient
- 8 tasses   Canneberges crues, grossièrement
- Haché
- 6 tasses   Du sucre
- 1 litre Rhum léger ou ambré

Placez les canneberges hachées dans un pot d'un gallon avec un couvercle hermétique (ou divisez-les entre des pots d'un demi-gallon). Ajouter le sucre et le rhum. Fermez le pot hermétiquement; secouez doucement pour mélanger. Conserver dans un endroit sombre et frais pendant 6 semaines, en remuant ou en secouant le contenu tous les jours.

Filtrer le cordial dans des bouteilles décoratives. Sceller avec des bouchons.

Remarque : Cette recette peut être coupée en deux ou même en quartiers. Pour une demi-recette, utilisez 4 tasses de canneberges, 3 tasses de sucre et $2\frac{1}{2}$ tasses de rhum ; pour un quart de recette, utilisez 2 tasses de canneberges, $1\frac{1}{2}$ tasse de sucre et $1\frac{1}{4}$ tasse de rhum.

13. Liqueur de rhum crémeuse

Ingrédient

- 1 boîte (400 ml) de lait concentré

- 300 millilitres de crème

- 300 millilitres de lait

- $\frac{3}{4}$ tasse Rhum

- 2 cuillères à soupe Sauce au chocolat

- 2 cuillères à café Café instantané dissous dans

- 2 cuillères à café   Eau bouillante

Mélanger lentement tous les ingrédients dans un mélangeur. Servir frais. Se conserve scellé au réfrigérateur, pendant 2 semaines.

14. Liqueur de crème irlandaise de marque Eagle

Ingrédient

- $1\frac{1}{4}$ tasse   Whisky irlandais; ou brandy, rhum, whisky de seigle, bourbon, scotch

- 14 onces de lait concentré sucré

- 1 tasse   Crème épaisse

- 4 œufs

- 2 cuillères à soupe de sirop aromatisé au chocolat

- 2 cuillères à café   Café instantané

- 1 cuillère à café d'extrait de vanille

- $\frac{1}{2}$ cuillère à café d'extrait d'amande

Dans le récipient du mélangeur, combiner tous les ingrédients, mélanger jusqu'à consistance lisse.

Conserver hermétiquement couvert au réfrigérateur jusqu'à un mois. Remuer avant de servir

MALT WHISKY

15. Haute Dungeness Bourbon

- 2 onces (60 ml) de liqueur de gingembre
- 2 onces (60 ml) de bourbon
- ½ citron bio

a) Mettez la liqueur de gingembre et le citron dans un shaker ou un verre à mélange. Bien écraser avec un pilon ou une longue cuillère en bois. Ajouter environ une tasse de glace pilée et le bourbon. Remuez bien jusqu'à ce que le verre soit givré. Verser dans un verre à cocktail ou un verre à vin; ne pas forcer. Garnir d'une tranche de citron.

b) Les puristes insisteront sur le fait qu'un smash n'est pas un smash sans menthe, alors n'hésitez pas et garnissez de menthe fraîche si vous le souhaitez.

16. Old Fashioned infusé au bacon

POUR L'INFUSION BOURBON-BACON :

- 3 ou 4 tranches de bacon, ou assez pour rendre 1 once de graisse (PDT utilise Benton, mais n'importe quelle variété extra-fumée fera l'affaire)

- 1 750 ml. bouteille de bourbon comme Four Roses Yellow Label

POUR L'ANCIENNE :

- 2 onces de bourbon infusé au bacon

- 1/4 once de sirop d'érable de catégorie B

- 2 traits d'amers Angostura

- Torsade d'orange

POUR LE BOURBON INFUSÉ AU BACON : Cuire le bacon à la poêle et réserver la graisse fondue. (1) Lorsque la graisse de bacon a un peu refroidi, versez une once de la poêle. (2) Verser le bourbon dans un récipient non poreux. (3) Filtrer la graisse de bacon dans le récipient et laisser infuser 4 à 6 heures à température ambiante. Placer le mélange au congélateur jusqu'à ce que toute la graisse soit solidifiée. À l'aide d'une cuillère trouée, retirer le gras et filtrer le mélange dans la bouteille.

POUR LE COCKTAIL : Dans un verre à mélange, mélanger 2 onces de bourbon infusé au bacon, le sirop d'érable et les amers avec de la glace. Filtrer dans un verre à whisky réfrigéré rempli de glaçons. Garnir d'un zeste d'orange.

17. Liqueur de pêche

Ingrédient

- 1½ livres   Les pêches; épluché et tranché*

- 1½ tasse   Du sucre

- 4 zeste de citron; bandes

- 3 clous de girofle entiers

- 2 bâtons de cannelle

- 2 tasses   Bourbon

*Utilisez des pêches fraîches pour cette recette Dans un bol en verre moyen, bien mélanger tous les ingrédients. Chauffer 10 minutes à POWER LEVEL 7 (Moyen-Haut) jusqu'à ce que le sucre soit dissous, en remuant une fois. Poursuivez la cuisson au NIVEAU DE PUISSANCE 1 (chaud) pendant 30 minutes supplémentaires, en remuant deux fois. Couvrir et laisser reposer 3 à 4 jours. Filtrer avant utilisation.

18. Liqueur de crème au chocolat

Ingrédient

- 2 tasses   Crème épaisse

- 14 onces de lait concentré sucré

- 1 tasse   Whisky

- $\frac{1}{4}$ tasse   Poudre de cacao sans sucre

- $1\frac{1}{2}$ cuillère à soupe d'extrait de vanille

- 1 cuillère à soupe   Poudre expresso instantanée

- 1 cuillère à soupe   Extrait de noix de coco

Dans un robot culinaire, mélanger la crème, le lait concentré sucré, le whisky, le cacao, la vanille, la poudre d'espresso et l'extrait de noix de coco. Traiter jusqu'à ce que le tout soit bien mélangé et lisse. 2. Servir immédiatement sur glace. Ou placer dans un verrerécipient, couvrir hermétiquement et conserver au réfrigérateur jusqu'à 3 semaines. Remuer avant utilisation.

19. Whisky de malt de style écossais

- 5 gallons (19 L) d'eau filtrée ou non chlorée
- Backset ou acide citrique ou tartrique, selon les besoins pour ajuster le pH de l'eau de brassage (voir chapitre 8)
- 15 livres (6,8 kg) d'orge maltée à deux rangs
- $\frac{1}{2}$ livre (225 g) de malt tourbé
- 1 paquet de levure de whisky avec enzymes
- 2 cuillères à soupe (30 ml) de yogourt nature ou de culture de fabrication de fromage séché

a) Prêt à déguster mon premier whisky de malt !
b) Mettez $2\frac{1}{2}$ gallons d'eau dans une marmite de 8 ou 10 gallons et chauffez à 71°C/160°F. Incorporer l'orge maltée et le malt tourbé. Maintenez la

température entre 67°C/152°-155°F pendant 90 minutes. Utilisez letest à l'iode pour vérifier la conversion de l'amidon. Filtrer les grains du moût dans un seau de fermentation de 8 gallons, à l'aide d'un grand sac filtrant. Laisser le sac suspendu dans le fermenteur. Chauffer 5 pintes de l'eau restante à 74°C/165°F. Versez cette eau à travers les grains dans le sac. Chauffer les 5 litres d'eau restants à 82°C/180°F et répéter le rinçage des grains. Laissez les grains s'égoutter complètement dans le seau de fermentation, puis mettez les grains de côté.

c) Pourquoi l'appelle-t-on « Single Malt » ?

d) À première vue, je pensais que cela signifiait simplement que le whisky était fabriqué avec un seul type de malt. En fait, le single malt signifie par définition un whisky 100% malt qui a été produit dans une distillerie. Il peut s'agir d'un mélange de whiskies de malt d'âges différents. S'il contient des whiskies d'années différentes, la mention d'âge sur la bouteille fera référence au plus jeune whisky du mélange.

e) Refroidir le moût à 33°C/92°F. Vérifiez la gravité spécifique et enregistrez. Ajouter la levure et la culture de yaourt ou de fromage. Fermenter à température ambiante pendant 2 à 6 jours, ou jusqu'à ce que la fermentation ait considérablement ralenti ou arrêté. Vérifiez à nouveau la densité et enregistrez ce nombre.

f) Transférez le moût dans votre alambic, en laissant le sédiment de levure dans le moût. Faites d'abord un décapage ; vous devriez avoir des vins faibles autour de 30% ABV. Ensuite, les spiritueux s'écoulent, passant de la tête au cœur lorsque le distillat émergent atteint 80% ABV. Recueillir des coeursjusqu'à ce que le distillat émergent soit réduit à 60% à 62% ABV avant de passer aux queues.

g) Conservez les têtes et les queues de tous les spiritueux de whisky et mélangez-les dans un bocal ou une bouteille en verre. Ajoutez une petite quantité de ce mélange (appelé « feintes ») à votre prochain whisky spirit run. Cela se fait couramment dans les distilleries commerciales et fait partie de la mystique ; en quelque sorte, les feintes ajoutées améliorent la saveur du whisky fini. Cela fonctionne aussi bien en petits lots comme celui-ci.

20. liqueur "cerise pécheresse"

Ingrédient
- 2 pots d'un quart
- 2 tranches de citron
- 1 cinquième VO
- cerises Bing
- 2 cuillères à soupe de sucre

Remplissez chaque bocal à moitié plein de cerises. Ajouter à chacun une tranche de citron et une cuillère à soupe de sucre. Puis remplissez jusqu'au sommet avec VO Mettez le couvercle hermétiquement, secouez et mettez au frais pendant 6 mois. Les cerises sont la partie la plus délicieuse de la boisson ; donnez-en un à votre amoureux !

21. irlandais whisky

- 5 gallons (19 L) d'eau filtrée ou non chlorée
- 7½ livres (3,4 kg) d'orge maltée à deux rangs, concassé
- 7½ livres (3,4 kg) d'orge non maltée, concassé
- Backset ou acide citrique ou tartrique, selon les besoins pour ajuster le pH de l'eau de brassage (voir chapitre 8)
- 1 once (30 ml) de levure de distillerie
- 2 cuillères à soupe (30 ml) de yogourt nature (facultatif)

a) Chauffer 2½ gallons d'eau à 71°C/160°F. Ajuster le pH si nécessaire. Ajouter l'orge non maltée concassé, puis l'orge maltée et remuer pour humidifier tous les grains. Maintenez la température de la purée à 67°C/152°F pendant 90 minutes. Égoutter le liquide des grains dans un seau de fermentation. Chauffer 5 litres d'eau à 74°C/165°F et laver les grains écrasés; vidanger le liquide dans le seau de fermentation. Faites chauffer les 5 litres d'eau restants à 82°C/180°F et rincez les grains comme avant.Verser tout le liquide dans le seau de fermentation et bien mélanger.

b) Refroidir à environ 29°C/85°F; vérifier et enregistrer la gravité spécifique. Ajouter la levure et le yaourt (si utilisé). Mettre le couvercle et le sas en place et fermenter dans un endroit chaud pendant 72 à 96 heures.

c) Transférez le lavage dans votre alambic et effectuez un décapage. Vos vins faibles devraient être d'environ 30% ABV. Faites un spirit run, en coupant les têtes lorsque le distillat émergeant atteint 80% ABV. Passez aux queues lorsque le distillat émergent est d'environ 55% ABV. Maintenant, faites une autre course spirituelle sur les cœurs de la première course spirituelle. Distiller ce cycle comme avant, mais seulement jusqu'à ce que les cœurs accumulés se situent entre 80% et 90% ABV.

22. Liqueur de whisky facile

- 1 bouteille de whisky
- 2 tasses de miel de fleur d'oranger
- le zeste de 2 oranges ou mandarines
- 4 cuillères à soupe de graines de coriandre, écrasées

a) Rincez le bocal avec de l'eau bouillante. Drainer.
b) Mélangez le tout dans le bocal, mettez le couvercle et secouez une fois par jour pendant un mois. Goûtez et décidez si vous voulez plus de miel ou plus de saveur d'orange. Filtrer ou filtrer et mettre la liqueur en bouteille.

23. Recette Bourbon

- 5 gallons (19 L) d'eau filtrée ou non chlorée
- 10 livres (4,5 kg) de maïs concassé
- $1\frac{1}{4}$ livre (0,6 kg) de baies de seigle concassés
- $1\frac{1}{4}$ livre (0,6 kg) de blé en flocons
- $2\frac{1}{2}$ livres (1,1 kg) d'orge maltée
- 1 paquet de combinaison levure/enzyme à whisky

α) Chauffer l'eau dans une grande marmite à 71°C/160°F. Incorporer le maïs, les baies de seigle et les flocons de blé, suivis de l'orge maltée. Mettez le couvercle sur le pot et maintenez la température à 66°–68°C/152°–155°F pendant 60 minutes. Testez la conversion de l'amidon à l'aide du test à l'iode et maintenez jusqu'à 60 minutes supplémentaires si nécessaire pour une conversion complète de l'amidon.

β) Refroidir la purée à 33°C/92°F. Transférer la purée dans un seau de fermentation de 8 gallons. Ajouter la levure. Fermenter à chaud (29°-32°C/85°-90°F si possible) pendant 2à 4 jours. Filtrer le liquide des grains. Vérifiez et enregistrez la gravité spécifique du lavage.

χ) Transférez le moût dans votre alambic, y compris la levure, et effectuez un décapage. Les vins bas devraient être d'environ 30% ABV. Ensuite, faites un spiritueux, en faisant la coupe à cœur lorsque le distillat émergent est à 80% ABV. Distiller jusqu'à ce que les cœurs accumulés se situent entre 68% et 75% ABV.

δ) Faites vieillir votre bourbon en utilisant des copeaux de chêne fortement carbonisés. Je suggère 4 à 6 mois pour tout jusqu'à un gallon, peut-être 2 à 3 mois si vous avez moins d'un demi-gallon.

ε) Sacs de 20 kilos (44 livres) de maïs concassé biologique pour faire du bourbon et d'autres whiskies.

φ) Variations sur le thème Bourbon

γ) Le seigle ajoute des notes épicées au whisky. Pour augmenter le piquant dans votre bourbon (connu sous le nom de bourbon de seigle élevé), augmentez simplement la proportion de seigle dans votre formule. Pour le bourbon au blé, essayez de remplacer le seigle dans la recette de base par du blé en flocons. Le blé peut ajouter de la douceur au whisky, mais méfiez-vous d'en ajouter trop ; cela pourrait atténuer le caractère du bourbon plus que vous ne le vouliez.

24. Recette de whisky de seigle

- 5 gallons (19 L) d'eau filtrée ou non chlorée
- 10 livres (4,5 kg) de baies de seigle concassés
- 2½ livres (1,1 kg) de seigle malté
- 2½ livres (1,1 kg) d'orge maltée concassé
- 1 paquet de combinaison levure/enzyme à whisky

- 2 cuillères à soupe de yaourt nature ou de culture de fabrication de fromage séché (facultatif)

a) Chauffer l'eau dans une grande marmite à 71°C/160°F. Incorporer les baies de seigle et le seigle malté, suivis de l'orge maltée. Mettez le couvercle sur la casserole et maintenez la température à 66°-68°C/152°-155°F pendant 60 minutes. Test de conversion de l'amidon à l'aide de l'iodetester et maintenir jusqu'à 60 minutes supplémentaires si nécessaire pour une conversion complète de l'amidon.

b) Refroidir la purée à 33°C/92°F. Transférer la purée dans un seau de fermentation de 8 gallons. Ajouter de la levure et du yogourt ou de la culture de fromage (le cas échéant). Fermentation à température ambiante pendant 2 ou 3 jours. Filtrer le liquide des grains. Vérifiez et enregistrez la gravité spécifique du lavage.

c) Transférez le lavage dans votre alambic et effectuez un décapage. Les vins bas devraient être d'environ 30% ABV. Ensuite, faites un spiritueux, en faisant la coupe à cœur lorsque le distillat émergent est à 80% ABV. Passez à la queue lorsque le distillat émergent est descendu à 62 % à 65 % ABV.

GIN

25. Martini cajun

Ingrédient

- 1,00 Piment jalapeno; tranché jusqu'à la tige

- ½ Bouteille de Gin

- ½ Bouteille Vermouth

- Tomate verte marinée

Ajoutez du jalapeño à la bouteille de gin, remplissez la bouteille de gin jusqu'au rebord avec du vermouth.

Réfrigérer 8 à 16 heures (mais pas plus). Filtrer à travers une double couche d'étamine dans un entonnoir dans une bouteille propre. Verser dans un verre réfrigéré. Garnir de tomates vertes marinées.

26. Rôti de sanglier à la liqueur

Ingrédient

- 1 gigot de sanglier

- 1 cuillère à soupe   Baies de genièvre

- 1 cuillère à soupe   Graines de coriandre

- 1 cuillère à soupe   Gros sel de mer

- 2 cuillères à soupe moutarde à l'anglaise

- Feuilles coupées d'un bon brin de

- ; Romarin

- Le zeste râpé de 2 citrons et le jus de 1

- ; citron

- 1 cuillère à soupe   Poivre noir fraichement moulu

- pinte Gin

- 4 cuillères à soupe de liqueur de cassis ; (4 à 5)

- 2 livres de céleri-rave ; (2 à 3)

Retirez la peau du sanglier en un seul morceau, enlevez la majeure partie du gras et essuyez la viande partout.

Broyer les baies de genièvre, la coriandre et le romarin avec le sel et mélanger avec le reste des ingrédients. Frottez la pâte sur la viande, couvrez avec la peau et laissez reposer une heure ou deux, ou toute la nuit si vous préférez.

Préchauffer le four à 150C/300F/gaz 3. Peler et couper le céleri-rave en morceaux de la taille d'un bouchon et les disposer dans un plat à rôtir graissé. Poser le jarret dessus, recouvrir de peau et enfourner.

Cuire pendant 25-30 minutes par livre, plus à la fin de la cuisson, 20 minutes supplémentaires à 200C/400F/gaz 6. Laisser la viande reposer pendant 20 minutes avant de la découper en fines tranches.

Servir avec des légumes-racines supplémentaires rôtis au four ou des légumes cuits à la vapeur comme le céleri, les poireaux et le fenouil. Faire une sauce avec les jus de viande bouillis et servir avec un peu de gelée de fruits piquante maison.

BRANDY

27. Liqueur d'orange de David

- Environ 32 onces (1 L) de brandy (fait maison ou du moins pas le moins cher du marché)
- 2 livres (0,9 kg) de mandarines biologiques
- ½ tasse (125 ml) d'écorce d'orange douce biologique séchée
- Sirop simple

a) Remarque : Je recommande fortement d'utiliser des agrumes biologiques à chaque fois que vous utilisez la peau ; les fruits non bio peuvent contenir des résidus de pesticides dont vous ne voulez pas dans vos infusions, il est donc plus facile de les éviter en choisissant bio.

b) Préparez deux bocaux Mason propres d'un litre à large ouverture. Eplucher les mandarines et couper les zestes en assez petits morceaux ; cela augmente la surface de la peau qui sera exposée au cognac. Répartir la pelure entre les deux pots. Ajouter la moitié des zestes d'orange séchés dans chaque pot.

Ajoutez du brandy dans chaque pot jusqu'à environ un pouce du haut. Mettez des couvercles. Laisser reposer les bocaux à température ambiante, loin dele soleil, pendant au moins 2 jours ; Je l'ai laissé aller jusqu'à une semaine avec de bons résultats. Secouez doucement les pots au moins une fois par jour. Après les 2 premiers jours, commencez à sentir l'infusion tous les jours et arrêtez d'infuser lorsque l'arôme vous convient.

c) Filtrez les fruits du brandy. Vous devriez avoir environ 25 à 28 onces (750 à 875 ml) de liquide. Ajouter du sirop simple au goût et mettre en bouteille. À titre indicatif, nous avons utilisé 1 cuillère à café (5 ml) de sirop simple pour chaque once liquide de liqueur ; ajoutez un peu à la fois et goûtez jusqu'à ce que la douceur vous convienne, et assurez-vous de noter la quantité de sirop simple que vous avez utilisé ! Je soupçonne que vous aimerez tellement cette liqueur que vous la referez.

d) La liqueur est prête à l'emploi, mais je recommande de la laisser reposer dans un endroit sombre et frais pendant au moins un mois.

28. Liqueur d'Amaretto

Ingrédient

- 1 tasse   Sucre en poudre

- $\frac{3}{4}$ tasse   L'eau

- 2 moitiés d'abricots secs

- 1 cuillère à soupe   Extrait d'amande

- $\frac{1}{2}$ tasse   Alcool pur grain et

- $\frac{1}{2}$ tasse   L'eau

- 1 tasse   Brandy

- 3 gouttes de colorant alimentaire jaune

- 6 gouttes de colorant alimentaire rouge

- 2 gouttes de colorant alimentaire bleu

- $\frac{1}{2}$ cuillère à café   glycérine

Mélanger le sucre et $\frac{3}{4}$ tasse d'eau dans une petite casserole. Porter à ébullition, en remuant constamment. Réduire le feu et laisser mijoter jusqu'à ce que tout le sucre soit dissous. Retirer du feu et laisser refroidir.

Dans un récipient de vieillissement, mélanger les moitiés d'abricot, l'extrait d'amande, l'alcool de grain avec $\frac{1}{2}$ tasse d'eau et le brandy.

Incorporer le mélange de sirop de sucre refroidi. Boucher et laisser vieillir 2 jours. Retirez les moitiés d'abricots. (Conservez les moitiés d'abricots, car elles peuvent être utilisées pour la cuisson). Ajouter du colorant alimentaire et de la glycérine. Remuez, récapitulez et poursuivez le vieillissement pendant 1 à 2 mois.

Re-bouteille comme vous le souhaitez. La liqueur est prête à servir mais continuera à s'améliorer avec le vieillissement supplémentaire.

29. Cgâteau mousse au chocolat

Ingrédient
- $\frac{1}{2}$ tasse   Sucre en poudre
- $\frac{1}{2}$ tasse   L'eau
- 8 cuillères à soupe (1 bâton) beurre non salé
- 12 onces   Chocolat mi-sucré ou aigre-doux
- $\frac{1}{3}$ Coupe   Liqueur douce, comme Cointreau ou Chambord
- 6 oeufs
- 1 tasse   Crème épaisse
- 2 cuillères à soupe Du sucre
- 1   Panier de framboises fraîches (facultatif)

Préchauffez le four à 325 degrés et placez une grille au niveau intermédiaire. Beurrer un moule rond de 8 pouces et tapisser le fond d'un disque de parchemin ou de papier ciré coupé à la bonne taille. Beurrez le papier. Coupez finement le chocolat et mettez-le de côté.

Mélanger le sucre et l'eau dans une casserole et porter à ébullition à feu doux, en remuant de temps en temps pour s'assurer que tous les cristaux de sucre se dissolvent.

Retirer le sirop du feu et incorporer le beurre et le chocolat; laisser reposer 5 minutes. Fouetter doucement.

Incorporer la liqueur et les œufs, un à la fois, au mélange de chocolat, en prenant soin de ne pas trop mélanger.

Placer 1 pouce d'eau tiède dans une petite rôtissoire. Verser la pâte dans le moule rond de 8 pouces préparé et cuire au four environ 45 minutes, jusqu'à ce qu'elle soit prise et légèrement sèche à la surface. Retirer le moule rond de la rôtissoire et laisser refroidir à température ambiante dans la poêle et couvrir d'une pellicule plastique. Réfrigérer le dessert dans le moule. Pour démouler, passer un couteau entre le dessert et la poêle et passer le fond de la poêle sur le feu. Retournez et retirez le papier. Renverser dans un plat.

Pour finir, fouettez la crème avec le sucre jusqu'à ce qu'elle forme un pic mou. Étaler la chantilly sur le dessus du dessert. Décorez le dessus avec les framboises.

30. Liqueur d'abricot

- 1 tasse d'eau

- 1 livre d'abricots secs et dénoyautés

- 1 cuillère à soupe de sucre en poudre

- 1 tasse d'amandes effilées

- 2 tasses de cognac

- 1 tasse de sucre

- 1 tasse d'eau

Mettre l'eau dans une casserole, porter à ébullition et retirer du feu. Ajouter les abricots et laisser tremper pendant 10 minutes ou jusqu'à ce quela plus grande partie de l'eau est absorbée. Laisser refroidir. Égoutter l'eau restante.

Mettre les abricots dans un bocal et saupoudrer de sucre glace. Lorsque le sucre est dissous, ajoutez les amandes et le cognac. Remuez bien pour mélanger. Couvrir hermétiquement et laisser infuser dans un endroit frais et sombre pendant au moins 2 semaines. Une fois la période de trempage terminée, tachez et filtrez le liquide.

Mélanger le sucre et l'eau dans une casserole à fond épais. Porter à ébullition à feu moyen. Réduire le feu et laisser mijoter jusqu'à ce que le sucre soit complètement dissous, environ 3 minutes. Retirer du feu et laisser refroidir à température ambiante.

Mélanger le sirop de sucre avec le mélange de brandy filtré. Verser dans des bouteilles et fermer hermétiquement. Laisser vieillir au moins 1 mois avant de servir.

31. Coquilles de liqueur de chocolat

Ingrédient

- 3 onces chacun de mi-sucré ou aigre-doux, de lait et de blanc

- 3 onces de chocolat blanc, haché

- 2 œufs, séparés

- 1 cuillère à soupe   Chacun de Tia Maria, crème de

- Chocolat, fondu dans des bols séparés menthe ou Cointreau

- colorant alimentaire si désiré

À l'aide d'une cuillère, étaler uniformément le chocolat fondu à l'intérieur de 12 gobelets en papier. Retourner les tasses à l'envers sur une assiette. Réfrigérer jusqu'à prise. Décollez délicatement le papier.

Faire fondre lentement le chocolat blanc. Retirer du feu; battre rapidement les jaunes d'œufs. Mettre de côté. Dans un autre bol, battre les blancs d'œufs jusqu'à ce qu'ils soient fermes, mais pas secs. Divisez le jaune d'œuf min dans trois bols séparés et ajoutez 1 cuillère à café d'une liqueur différente dans chaque bol. Ajoutez une ou deux gouttes de colorant alimentaire vert dans un bol contenant de la crème de menthe - si vous le souhaitez.

Une ou deux gouttes de colorant jaune peuvent être ajoutées au mélange Cointreau. Incorporer délicatement un tiers des blancs d'œufs dans chacun des bols.

Verser dans des coques en chocolat. Réfrigérer 2 heures. Ces coquilles doivent être consommées dans les 24 heures. Les caissettes de chocolat peuvent être préparées à l'avance et conservées dans un endroit frais et sec.

32. Confiture de liqueur de fraise

Ingrédient

- 500 grammes de fraises

- 1 pomme verte moyenne

- Jus de 1 citron vert

- $1\frac{3}{4}$ tasse   Du sucre

- 2 cuillères à soupe de Grand Marnier

Lavez et équeutez les fraises. Peler, épépiner et hacher finement la pomme. Ajouter le jus de citron vert et laisser reposer à couvert pendant 30 minutes. Micro-ondes les fruits et le jus pendant 4 minutes à puissance maximale. Ajouter le sucre, remuer et micro-ondes 35 minutes à puissance maximale, en remuanttoutes les 10 minutes. Attendez cinq minutes, versez dans des pots stériles chauds. Sceller.

33. Liqueur de framboise

Ingrédient
- 4.00 tasse   Nettoyer les framboises sèches
- 4.00 tasse   Brandy
- 2,00 tasse   Du sucre
- $\frac{1}{2}$ tasse   L'eau

Mettez les framboises dans un bocal et recouvrez de cognac. Sceller et conserver sur un rebord de fenêtre ensoleillé pendant 2 mois. Mettre le sucre dans une casserole avec le sucre et chauffer juste assez pour dissoudre le sucre. Verser le sirop sur la liqueur de framboise. Filtrer et mettre en bouteille.

34. Liqueur De Pomme

- 1 livre de pommes rouges délicieuses ou autres pommes sucrées

- 1 bâton de cannelle de 2 pouces

- 2 clous de girofle entiers

- 2 tasses de cognac

- 1 tasse de sucre

- 1 tasse d'eau

Coupez les pommes en quartiers et retirez les trognons, ne les épluchez pas. Couper les quartiers en deux.

Mélanger les pommes, le bâton de cannelle, les clous de girofle,et cognac dans un grand bocal. Couvrir hermétiquement et laisser infuser dans un endroit frais et sombre pendant 2 semaines.

Une fois la période de trempage terminée, tachez et filtrez le liquide. Mélanger le sucre et l'eau dans une casserole à fond épais. Porter à ébullition à feu moyen. Remettre sur le feu et laisser mijoter jusqu'à dissolution complète du sucre, environ 3 minutes. Retirer du feu et laisser refroidir à température ambiante.

Mélanger le sirop de sucre avec le mélange de brandy limé. Verser dans des bouteilles et fermer hermétiquement. Laisser vieillir au moins 1 mois avant de servir.

35. lait de poule californien

Ingrédient
- 1 pinte   Lait de poule préparé froid
- 1½ tasse Brandy à l'abricot
- ¼ tasse   Triple sec
- Noix de muscade, pour garnir

Dans un grand pichet, mélanger le lait de poule, l'eau de vie d'abricot et le Triple Sec.

Bien mélanger pour mélanger.

Couvrir et réfrigérer au moins quatre heures pour mélanger les saveurs.

Au moment de servir, garnir chaque portion d'une pincée de muscade.

36. Coupes glacées à la liqueur de chocolat

Ingrédient

- $\frac{3}{4}$ tasse   Garniture au fudge sans gras de Braum's ou Smucker's

- 1 chacun   (1,3 oz) Dream Whip préparé

- 6 To de Kahlua

- 6 To de Cointreau

- 6 To de Céréales aux Noix de Raisin

- 1 litre de yogourt glacé à la vanille sans gras ou de crème glacée sans gras

Versez 2 cuillères à soupe de garniture au fudge dans chacun des 6 verres à cognac.

Placer une boule de yogourt glacé dans chacun; garnir d'un fouet de rêve. Verser 1 cuillère à soupe de chaque liqueur sur chaque snifter. Saupoudrer de noix de raisin.

37. Compote de fruits infusée au thé

Ingrédient

- 3 cuillères à café de feuilles de thé Earl Grey arrondies; (3 à 4)

- 400 millilitres Eau bouillante; (14 onces liquides)

- 3 lanières de zeste de lime ; (3 à 4)

- 1 citron vert ; jus de

- 100 grammes de sucre en poudre; (3 1/2 onces)

- 3 cuillères à soupe de cognac de cuisson; (3 à 4)

- 75 grammes de pêches séchées; (2 1/2 onces)

- 75 grammes d'abricots secs; (2 1/2 onces)

- 75 grammes de canneberges séchées; (2 1/2 onces)

- 2 poires fraîches ; pelées, évidées et; découpé en tranches

- 2 Dessert mûr frais pomme; pelées, évidées et; découpé en tranches

Infuser les feuilles de thé dans 250 ml d'eau bouillante pendant 5 minutes, puis filtrer. Jeter les feuilles. Mettez l'infusion de thé filtrée dans une casserole avec le zeste de citron vert et le sucre et laissez mijoter jusqu'à ce que le sucre soit dissous. Faire bouillir quelques minutes pour réduire légèrement et épaissir légèrement le mélange. Ajouter le cognac et le jus de citron vert. Disposer les fruits secs et frais dans un bol de service et verser le sirop dessus. Laisser reposer 3-4 heures avant de servir.

38.　　Gâteau au fromage marbré

Ingrédient
- 8½ once　　Emballage de gaufrettes au chocolat
- ⅜ tasse　　Beurre non salé, fondu
- 6 onces　　Chocolat amer,
- Haché finement
- ⅓ Coupe　　Café, fraîchement moulu
- 2 livres　　Fromage à la crème, ramolli
- 1 tasse　　Du sucre
- 4 œufs, à température ambiante
- 1 tasse　　Yaourt nature
- 2 cuillères à soupe Grand Marnier ou autre
- Liqueur aromatisée à l'orange
- 1 cuillère à café　　Vanille
- ¼ tasse　　Farine
- cuillère à café　　Le sel

- 1 cuillère à soupe   Zeste d'orange râpé

Préchauffer le four à 325F. Côté beurre seulement d'un moule à charnière de 9 pouces; envelopper à l'extérieur de papier d'aluminium et réserver.

Pulvériser les gaufrettes au robot culinaire. Mélanger les miettes avec le beurre fondu et presser uniformément au fond et sur les côtés du moule; mettre de côté.

Faire fondre le chocolat dans le café ; battre jusqu'à obtenir une consistance lisse. mettre de côté.

Battre le fromage à la crème jusqu'à ce qu'il soit crémeux et lisse. Incorporer lentement le sucre jusqu'à consistance lisse et crémeuse. Battre les œufs, un à la fois, jusqu'à ce qu'ils soient incorporés.

Incorporer le yogourt, le Grand Marnier et la vanille. Réduire la vitesse et incorporer la farine et le sel combinés.

Incorporer le chocolat fondu dans 1 $\frac{1}{2}$ tasse de pâte. Incorporer le zeste d'orange à la pâte ordinaire.

Verser la pâte à l'orange dans le moule préparé. Mettre la pâte au chocolat, en 8 plops, sur le dessus. Agiter avec un couteau de table jusqu'à ce que marbré à votre goût.

Poussez les miettes qui sont plus hautes que la pâte dessus en créant une bordure de miettes.

Cuire au four jusqu'à ce qu'il soit ferme sur le pourtour, mais toujours tremblant au centre, environ une heure. Refroidir dans le moule sur une grille. Doucementlibérer le côté de la casserole. Servir à température ambiante ou frais pour une consistance plus ferme.

39.   Liqueur de wishniak à la cerise

Ingrédient
- $\frac{1}{2}$ livres   cerises Bing
- $\frac{1}{2}$ livres   Sucre en poudre
- 2 tasses   Vodka ou Brandy

Lavez et équeutez les cerises et placez-les sur une serviette pour les sécher. Mettez délicatement les cerises dans un bocal de 1 litre. Verser le sucre sur les cerises. Ne pas remuer ni secouer. Versez de la vodka ou du brandy sur le sucre et les cerises. Ne remuez pas. Couvrez hermétiquement avec un couvercle et placez le pot sur une étagère haute dans une armoire sombre. Laissez reposer 3 mois sans remuer ni secouer. Filtrer dans une bouteille de 1 pinte; la chair de cerise se sera dissoute. Rendement de 2 $\frac{1}{2}$ à 3 tasses.

40. Liqueur d'Amande

- 1 tasse de sucre

- 1 tasse d'eau

- 2 tasses de vodka

- 2 tasses de cognac

- 4 cuillères à café d'extrait d'amande

Mélanger le sucre et l'eau dans une casserole à fond épais. Porter à ébullition à feu moyen. Réduire le feu et laisser mijoter jusqu'à ce que le sucre soit complètement dissous, environ 3 minutes. Retirer du feu et laisser refroidir à température ambiante.

Mélanger le sirop de sucre, la vodka, le brandy et l'extrait d'amande. Verser dans des bouteilles et fermer hermétiquement. Laisser vieillir au moins 1 mois avant de servir.

41. Liqueur de poire

- 1 piler les poires mûres fermes

- 2 clous de girofle entiers

- 1 bâton de cannelle de 1 pouce

- Une pincée de muscade

- 1 tasse de sucre

- 1 tasse de cognac

Noyez les poires et coupez-les en morceaux de 1 pouce, ne les épluchez pas. Mettre dans un bocal avec les clous de girofle, la cannelle, la noix de Grenoble, le sucre et le cognac.Couvrir hermétiquement et laisser infuser 2 semaines à température ambiante. Secouez le pot quotidiennement. Une fois la période de trempage terminée, filtrer et filtrer le liquide.

42. Liqueur de Gingembre

- 2 onces (60 g) de racine de gingembre frais, pelée
- 1 gousse de vanille
- 1 tasse (250 g) de sucre (ou $\frac{3}{4}$ tasse (175 ml) de miel)
- $1\frac{1}{2}$ tasse (375 ml) d'eau
- Zeste d'une orange biologique ou $\frac{1}{4}$ tasse (60 ml) de zeste d'orange biologique séché
- $1\frac{1}{2}$ tasse (375 ml) de brandy

a) Encore une fois, je recommande d'utiliser le brandy comme base pour cette délicieuse liqueur. Trancher finement le gingembre. Fendre la gousse de vanille dans le sens de la longueur.

b) Dans une casserole, porter à ébullition le gingembre, la gousse de vanille, le sucre et l'eau. Baisser le feu et laisser mijoter 20 minutes. Retirer du feu et laisser refroidir.

c) Versez le sirop dans un bocal (ne pas filtrer), ajoutez le zeste ou le zeste d'orange et le cognac. Sceller, secouer et laisser infuser pendant une journée; retirer la gousse de vanille et laisser infuser au moins un jour de plus. J'ai laissé le mien infuser pendant 5 jours au total avec de bons résultats, mais j'aime beaucoup la saveur de gingembre.

d) Filtrer dans une bouteille. Laissez-le reposer pendant au moins 2 semaines (si vous pouvez le supporter) avant de l'utiliser.

COGNAC

43. Grande liqueur d'orange-cognac

Ingrédient

- ⅓ Coupe   zeste d'orange

- ½ tasse   Sucre en poudre

- 2 tasses   Cognac ou brandy français

- ½ cuillère à café   glycérine

Le Grand Marnier est une liqueur d'orange classique à déguster. Bien que le brandy ordinaire puisse être utilisé, nous recommandons un bon cognac ou un brandy français pour une meilleure saveur. Prêt en 5 à 6 mois. Donne environ 1 pinte.

Mettre le zeste et le sucre dans un petit bol. Écraser et mélanger avec le dos d'une cuillère en bois ou d'un pilon.

Continuez à écraser jusqu'à ce que le sucre soit absorbé dans le zeste d'orange et ne soit plus distinct. Placer dans un récipient de vieillissement. Ajouter du cognac. Remuer, boucher et laisser vieillir dans un endroit sombre et frais 2 à 3 mois, en secouant tous les mois.

Après le vieillissement initial, verser à travers une passoire à mailles fines placée sur un bol moyen. Rincer le contenant vieillissant.

Versez la glycérine dans un récipient vieillissant et placez un sac en tissu à l'intérieur de la passoire. Verser la liqueur dans un sac en tissu. Remuer avec une cuillère en bois pour mélanger. Boucher et vieillir 3 mois de plus avant de servir.

44. Curaçao aux figues fraîches

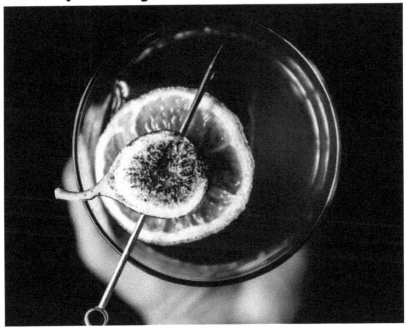

Ingrédient

- 12h00 Figue, fraîche ; épluché et coupé en quatre

- 1,00 cuillère à soupe de Cognac

- 1,00 tasse de crème épaisse, fouettée

- ⅓ Coupe   Curacao

Faire mariner les figues dans le cognac 30 minutes ou plus. Mélanger la crème et le Cura#ao. Incorporer les figues et le cognac qu'elles n'ont pas absorbé.

BITTER

45. Amer à l'orange

- Le zeste de 3 oranges bio, coupé en fines lamelles
- tasse (60 ml) de zeste d'orange biologique séché
- 4 clous de girofle entiers
- 8 gousses de cardamome verte, concassées
- $\frac{1}{4}$ cuillère à thé (1 ml) de graines de coriandre
- $\frac{1}{2}$ cuillère à thé (2 ml) de racine de gentiane séchée
- $\frac{1}{4}$ cuillère à thé (1 ml) de piment de la Jamaïque entier
- 2 tasses (0,5 L) de vodka à haute résistance (ne lésinez pas sur les marques bon marché ici)
- 1 tasse (250 ml) d'eau
- 2 cuillères à soupe (30 ml) de sirop riche

a) Mettez le zeste d'orange, le zeste d'orange séché, les épices et la racine de gentiane dans un pot Mason de 1 litre. Ajouter la vodka, en ajouter un peu plus si nécessaire pour couvrir complètement les ingrédients. Mettre le couvercle et ranger dans la chambretempérature pendant 2 semaines. Secouez doucement le pot une fois par jour.

b) Filtrer le liquide, à l'aide d'une étamine ou d'un filtre à café, dans un pot Mason propre de 1 litre. Répétez le filtrage jusqu'à ce que tous les sédiments soient éliminés. Pressez l'étamine pour forcer à travers autant de liquide que possible. Transférer les solides dans une petite casserole. Couvrir le bocal et mettre de côté.

c) Verser l'eau sur les solides dans la casserole et porter à ébullition à feu moyen. Couvrir la casserole, baisser le feu à doux et laisser mijoter 10 minutes. Retirer du feu et laisser refroidir complètement.

d) Ajouter le liquide et les solides dans la casserole dans un autre pot Mason de 1 pinte. Couvrir et conserver à température ambiante pendant une semaine, en secouant le bocal tous les jours. Égoutter les solides à l'aide d'une étamine et jeter les solides. Ajoutez le liquide dans le pot avec le mélange de vodka original. Ajoutez le sirop riche, remuez pour bien mélanger, puis mettez le couvercle et secouez pour mélanger et dissoudre le sirop.

e) Conservez le pot à température ambiante pendant 3 jours. Ensuite, écumez tout ce qui flotte à la surface et filtrez-le une fois de plus à travers une étamine. Utilisez un entonnoir pour le mettre en bouteille et le tour est joué ! Ces amers ont la meilleure saveur s'ils sont utilisés dans l'année, bien qu'ils durent presque indéfiniment.

MÉLANGEURS

46. Eau tonique maison

- 4 tasses (1 L) d'eau
- 1 tasse (250 ml) de citronnelle hachée (environ une grosse tige)
- $\frac{1}{4}$ tasse (60 ml) d'écorce de quinquina en poudre
- le zeste et le jus d'1 orange
- le zeste et le jus d'1 citron
- le zeste et le jus de 1 citron vert
- 1 cuillère à thé (5 ml) de baies de piment de la Jamaïque entières
- $\frac{1}{4}$ tasse (60 ml) d'acide citrique

- $\frac{1}{4}$ c. à thé (1 ml) de sel kasher
- Sirops faits maison pour faire de l'eau tonique (à gauche) et du soda au gingembre.

a) Mélanger les ingrédients dans une casserole moyenne et porter à ébullition à feu vif. Une fois que le mélange commence à bouillir, réduire le feu à doux, couvrir et laisser mijoter pendant 20 minutes. Retirer du feu et filtrer les solides à l'aide d'une passoire ou d'un chinois. Vous devrez filtrer finement le mélange, car il contient encore un peu d'écorce de quinquina. Vous pouvez utiliser un filtre à café et attendre une heure ou plus, ou faire comme moi et faire passer l'ensemble du mélange dans une presse à café française.

b) J'ai eu de très bons résultats en laissant simplement le mélange reposer pendant au moins quelques jours et jusqu'à une semaine. Cela fonctionne particulièrement bien dans le réfrigérateur. Les solides se déposent au fond et vous pouvez soit retirer le liquide clair, soit le verser avec précaution dans un autre pot propre. Cela prend un peu plus de temps de cette façon, mais je pense que cela en vaut la peine.

c) Une fois que vous êtes satisfait de la clarté de votre mélange, réchauffez-le sur la cuisinière ou au micro-ondes, puis ajoutez $\frac{3}{4}$ de tasse de sirop d'agave à chaque tasse de votre mélange chaud. Remuer jusqu'à homogénéité et conserver dans la jolie bouteille de votre choix.

47. Sirop de Gingembre des Fermes

Dans une marmite en inox ou en émail, mélanger :

- 9 tasses (2,04 kg) de sucre (j'utilise du sucre blanc biologique; le sucre brun donne une saveur différente)

- 18 tasses (4,3 L) d'eau, de préférence non chlorée ou filtrée
- 6 onces (180 g) de gingembre frais biologique, tranché finement (pelé ou non pelé, selon votre préférence)
- Couvrir et porter à ébullition à feu moyen-vif, en remuant pour dissoudre le sucre. Une fois que le sirop arrive à ébullition, éteignez le feu. Laissez le couvercle et laissez infuser pendant au moins 10 minutes. Pendant que le sirop chauffe, épluchez et pressez finement :
- 3 citrons bio (puisque vous utilisez le zeste, vous voulez vraiment utiliser des citrons bio pour cela)

a) Divisez les morceaux de zeste de citron en 6 tas égaux. Retirez les morceaux de gingembre du sirop avec une cuillère trouée ou un petit tamis. Filtrer les graines du jus de citron et ajouter le jus au sirop chaud.

b) En prenant les bocaux un par un, videz l'eau et mettez un tas de zeste de citron dans le bocal. À l'aide d'un entonnoir de mise en conserve, remplissez le pot de sirop chaud jusqu'à $\frac{1}{4}$" du haut et fermez-le avec les couvercles et les anneaux de mise en conserve. Laisser refroidir complètement sur une grille. Retirez les anneaux avant de les ranger. Étiquetez les pots et conservez-les dans un endroit frais. Réfrigérer après ouverture.

48. Sirop de gingembre un pot à la fois

Pour faire du sirop de gingembre un litre à la fois, utilisez les quantités suivantes :

- $1\frac{1}{2}$ tasse (375 ml) de sucre
- 3 tasses (750 ml) d'eau
- 1 once (30 g) de gingembre frais
- Jus et zeste de $\frac{1}{2}$ citron bio

a) Pour un goût de gingembre plus prononcé, laissez une tranche de gingembre dans le pot avant de fermer le couvercle.

b) Outre le whisky canadien et le soda au gingembre susmentionnés, voici quelques suggestions d'utilisation du sirop de gingembre :

49. Ginger Ale tout simple

- 2 shots de sirop de gingembre
- 5 à 6 onces (150 à 180 ml) d'eau gazeuse

a) Vous pouvez également essayer de verser du sirop de gingembre sur votre salade de fruits et votre yaourt le matin. Que diriez-vous d'utiliser le sirop de gingembre dans une marinade pour rôti de porc ? Une fois que vous l'aurez essayé, je parie que vous découvrirez d'autres façons d'utiliser ce sirop polyvalent.

50. Orgeat

- 2 tasses (500 ml) d'amandes crues, tranchées ou hachées
- 1½ tasse (375 ml) de sucre
- 1¼ tasse (300 ml) d'eau

- 1 cuillère à café (5 ml) d'eau de fleur d'oranger (ou de bitters à l'orange maison)
- 1 once (30 ml) de vodka

Mélanger

51. Marasquin alcool

- Cerises au marasquin
- Cerises fraîches (une variété aigre est préférable), lavées et dénoyautées
- Liqueur de marasquin ou brandy ou bourbon

Remplissez sans serrer un pot Mason propre de 1 pinte de cerises. Ajoutez de la liqueur de marasquin, du brandy ou du bourbon pour les recouvrir complètement. Mettre le couvercle sur le bocal et réfrigérer. Ils seront prêts à l'emploi dans environ une semaine. Pour une meilleure saveur, utilisez dans un mois environ. (Croyez-moi, une fois qu'un pot est ouvert, vous n'aurez aucun problème à les utiliser.)

52. Soda

- 4 onces. Extrait de marque Homebrew, n'importe quelle saveur OU 4-6 oz. autres extraits (assurez-vous de bien agiter le flacon avant utilisation)
- $2\frac{1}{2}$ gallons d'eau
- $4\frac{1}{2}$ tasses de sucre
- $\frac{1}{4}$-$\frac{1}{2}$ c. levure de champagne
- 24-28 12 onces. bouteilles de bière ou de soda et capsules de couronne

a) Dissoudre la levure dans une tasse d'eau à température corporelle et laisser reposer pendant cinq minutes.

b) Mélanger le sucre et la majeure partie de l'extrait avec suffisamment du reste de l'eau pour dissoudre le sucre dans le fermenteur primaire à température corporelle chaude (pas plus de 100°).

c) Ils disent d'utiliser de l'eau chaude du robinet, mais j'ai entendu dire qu'il n'est pas bon pour vous d'utiliser de l'eau tiède ou chaude du robinet pour autre chose que le lavage, je recommanderais donc d'utiliser de l'eau froide du robinet, en ajoutant de l'eau bouillante jusqu'à ce que vous obteniez la bonne température. Utilisez votre thermomètre flottant ou appliquez le test de devinette scientifique consistant à tremper votre poignet dans l'eau pour voir à quel point il fait chaud... avec précaution. Tremper dans votre gros orteil n'est pas acceptable.

d) Remuez jusqu'à ce que vous n'entendiez plus de sucre racler les côtés et le fond et que vous soyez sûr que le sucre est dissous. Une cuillère en métal propre est très bien à cet effet.

e) Ajoutez maintenant la levure et le reste de l'eau tiède. Goûtez-le et voyez comment vous l'aimez. Ajouter la dernière once ou plus de l'extrait. Parfois, la force diffère d'un emballage à l'autre, c'est donc une façon de s'assurer qu'elle n'est pas trop forte. Vous pouvez toujours ajouter un peu plus d'eau et de sucre.

f) Remplissez les bouteilles égouttées et rincées avec votre tube de soutirage, en laissant un pouce ou deux dans le goulot. Sceller avec une capsuleuse couronne. Assurez-vous que les joints sont bons.

g) Rincez l'extérieur des bouteilles et mettez-les dans une boîte en carton couverte (une caisse à bière est bonne). Conservez-les dans un endroit frais (mais pas froid) et sombre pendant quelques semaines. Si vous êtes nerveux, placez la boîte près d'un drain au cas où vous auriez mal mesuré le sucre.

h) Avant de servir, réfrigérez les bouteilles pendant au moins une heure et ouvrez-les soigneusement au-dessus de l'évier. Il y aura un peu de sédiments au fond, donc une fois que vous commencez à verser, continuez jusqu'à ce que vous arriviez aux sédiments et arrêtez-vous. Les sédiments ne vous feront pas de mal, maisce n'est pas joli. Servez votre boisson pétillante avec fierté.

i) J'ai tendance à faire un sirop de sucre au lieu d'emprunter la voie du sucre sec, car je pense que la carbonatation est plus uniforme.

j) Si vous utilisez du miel, utilisez un tout petit peu plus que vous ne le feriez avec du sucre. Faites-le bouillir dans un sirop, surtout si vous le servez à de très jeunes enfants, qui ne doivent pas manger de miel non cuit.

k) Des bouteilles de champagne et une capsuleuse de banc rendent tout ce processus beaucoup plus rapide.

l) Il n'y a pas de loi interdisant de mélanger des extraits !

m) Je fais mon propre extrait de bière au gingembre en faisant mijoter quatre à huit onces de gingembre frais tranché pendant une heure ou deux. Cependant, c'est plus délicat à faire car vous ne pouvez pas toujours prédire la saveur d'une tige de gingembre. Pourtant, parfois, c'est amusant de vivre un peu dangereusement, et la bière de gingembre jamaïcaine m'a gâté. Si vous essayez ceci, ajoutez le zeste et le jus de deux à trois citrons ou de 2 à 3 cuillères à café d'acide citrique à l'infusion.

n) N'ajoutez JAMAIS plus de sucre que ce qui est recommandé dans les instructions !!!

o) Les sodas fabriqués de cette façon se conservent jusqu'à un an s'ils sont conservés au frais, ou environ trois mois par temps chaud.

CONCLUSION

Votre nouvelle liqueur sur mesure peut être bue maintenant mais s'améliorera si vous la laissez reposer dans la bouteille pendant 2-3 mois. Les saveurs se fondront et les bords alcoolisés s'atténueront.

Faire des liqueurs est très amusant et il y a des mondes de possibilités en eux. Espérons que cet eBook vous a fourni suffisamment d'informations de base pour commencer. Et n'oubliez pas de partager vos créations avec vos amis lorsque les épreuves de l'isolement seront terminées ! Acclamations!

Lightning Source UK Ltd.
Milton Keynes UK
UKHW021128180621
385729UK00007B/78